Trois petites filles

D0286182

René Escudié est né en 1941 à Clermont-Ferrand. Il commence des études scientifiques, mais l'intérêt qu'il porte à la littérature le conduit vers les lettres, puis, tout naturellement, vers l'écriture. Auteur dramatique, écrivain pour enfants (Nathan, Magnard, Bayard Éditions), il est également animateur d'ateliers d'écriture pour les jeunes.

Du même auteur dans Bayard Poche :
Poulou et Sébastien - Les peurs de Petit-Jean
(Les belles histoires)

Ulises Wensell est né à Madrid en 1945. Il apprend les secrets de la peinture en regardant travailler son père. Connu aujourd'hui dans le monde entier pour ses illustrations de livres pour enfants, il obtient, entre autres, le prix national de l'Illustration en Espagne, le prix Critiques en herbe à Bologne. Ses ouvrages sont publiés en France chez Casterman, Gautier-Languereau, Bayard Éditions ; Ulises Wensell collabore régulièrement aux revues pour les jeunes de Bayard Presse.

Du même illustrateur dans Bayard Poche :
Poulou et Sébastien - Mélanie Pilou (Les belles histoires)

© Bayard Éditions, 1993
Bayard Éditions est une marque
du Département Livre de Bayard Presse
ISBN 2. 227. 72166. 9

Trois petites filles

**Une histoire écrite par René Escudié
illustrée par Ulises Wensell**

BAYARD ÉDITIONS

Il y avait une fois un papa et une maman
qui s'aimaient beaucoup
et qui voulaient un enfant.

Le papa disait :
– Je veux un garçon,
pour jouer au ballon avec lui,
pour aller à la pêche avec lui
et parce qu'il me ressemblera.
La maman disait :
– Je veux un garçon
parce qu'il sera gentil avec moi,
parce qu'il m'achètera des cadeaux
et parce qu'il ressemblera à son papa.

Ils attendent longtemps, longtemps.

Et un jour le bébé arrive.
Le papa dit :
– C'est une fille !

Elle ne jouera pas au ballon avec moi.
Elle n'ira pas à la pêche avec moi.
Et elle ne me ressemblera pas.
La maman dit :
– C'est une fille !
Elle ne sera pas gentille
avec moi.
Elle ne m'achètera
pas de cadeaux.
Et elle ne ressemblera pas
à son papa.

Alors, ils lui donnent
des grands biberons
et ils vont l'enfermer
là-haut, tout là-haut,
au plus haut étage
de la maison.

Et ils recommencent
à attendre
un autre enfant.

Quand le deuxième bébé arrive,
c'est encore une fille.
– Oh zut! dit le papa.
– Oh zut! dit la maman.
Et ils lui donnent encore
des grands biberons
et ils vont l'enfermer
là-haut, tout là-haut
au plus haut étage de la maison.

Et ils recommencent à attendre
un autre enfant.
C'est encore une fille.
Et ils ne sont pas contents.
Et ils font encore une fois
ce qu'ils ont fait pour les deux autres.
Et ils recommencent à attendre,
longtemps, très longtemps.

Un jour, la plus grande des filles,
là-haut, tout là-haut,
au plus haut étage de la maison,
en a assez de boire le biberon.
Elle se lève et elle s'en va dans le couloir.
Elle pousse une porte
et elle voit une autre petite fille
qui lui ressemble
comme un bonbon ressemble
à un autre bonbon.
La grande demande :
– Qui es-tu ?
L'autre lui répond :
– Je suis la deuxième,
la moyenne.

Elles s'en vont toutes les deux
dans le couloir,
elles poussent une porte
et elles voient une autre petite fille
qui leur ressemble
comme un caramel ressemble
à deux autres caramels.
La grande et la moyenne lui demandent:
– Qui es-tu?
L'autre leur répond:
– Je suis la troisième,
la dernière.

La petite demande :
– Pourquoi papa et maman
nous ont-ils enfermées
là-haut, tout là-haut
au plus haut étage de la maison ?

La grande répond :
– Parce que nous sommes des filles.
Et la moyenne répond :
– Parce que nous ne sommes pas
des garçons.

Et la petite demande :
– Qu'est-ce que c'est, un garçon ?

La grande dit :
– C'est quelqu'un qui joue au ballon,
qui va à la pêche
et qui ressemble à papa.

La moyenne dit :
– C'est quelqu'un qui est gentil
avec maman,
qui lui achète des cadeaux
et qui ressemble à papa.

La petite dit :
– C'est idiot.
Je peux jouer au ballon.
Je peux aller à la pêche.
Je peux être gentille avec maman.
Je peux lui acheter des cadeaux.

Les deux autres lui disent:
– Oui, mais tu ne peux pas
ressembler à papa
parce qu'il a de grandes moustaches,
de grosses lunettes
et qu'il est grand
comme une petite montagne.

Et la petite dit :
– Ça ne fait rien,
laissez-moi faire.

Et le papa et la maman
attendent toujours leur garçon.

Un jour, on tape à la porte de la maison.
Le papa demande :
– Qui est là ?
La maman demande :
– Qui est là ?
Une voix répond :
– C'est votre garçon !

Ils ouvrent vite la porte
et ils voient entrer un très grand
et très gros garçon
avec un grand manteau,
avec une grosse moustache
et des grosses lunettes
et plein de ballons
dans ses bras
et une canne à pêche
et plein de cadeaux
pour maman.

Et le garçon envoie les ballons à papa
et les ballons lui tombent sur la tête,
boum, boum, boum.
Et il se met à pêcher les poissons rouges
dans le bocal*
et les poissons rouges tombent par terre,
floc, floc, floc.
Et le chat les mange,
miam, miam, miam.
Et le garçon fait tomber les cadeaux
sur les pieds de la maman,
aïe, aïe, aïe.
Et le garçon lui fait des grosses bises
sur les joues,
smac, smac, smac.
Et le garçon se met à crier très fort,
comme le papa.

* Ce mot est expliqué page 45, n° 1.

Et le papa dit :
– Qu'est-ce que c'est que ça ?
Je ne veux pas de ce garçon-là
qui me tape sur la tête avec ses ballons,
qui pêche les poissons rouges
et qui crie très fort.

Et la maman dit :
– Qu'est-ce que c'est que ça ?
Je ne veux pas de ce garçon-là
qui me fait tomber
ses cadeaux sur les pieds,
qui me lèche les joues
et qui crie encore plus fort que papa.

Et ils disent tous les deux :
– Nous ne voulons pas de ce garçon-là,
nous voulons des petites filles.

Alors, le gros garçon
ouvre son grand manteau
et on voit les trois petites filles,
la grande dessous,
la moyenne au milieu
et la petite perchée* tout en haut,
là-haut.
Elle a mis de fausses moustaches
et de grosses lunettes.
Et le papa et la maman disent:
– Ce sont nos petites filles,
la grande,
la moyenne
et la petite!

* Ce mot est expliqué page 45, n° 2.

Nous ne voulons plus de garçon.
Vous pouvez rester avec nous.

Les petites filles disent :
– Il faut nous demander pardon
et il faut nous aimer
et il ne faut pas nous enfermer
là-haut, tout là-haut,
au plus haut étage de la maison,
avec juste des biberons.

Et le papa et la maman
leur demandent pardon.
Il leur font un beau goûter
avec des tartines, avec des gâteaux,
du chocolat et du nougat*,
et des bonbons
et plein, tout plein, tout plein,
tout plein, tout plein de baisers.

* Ce mot est expliqué page 46, n° 3.

LES MOTS DE L'HISTOIRE

1. Un **bocal**
est un récipient large et rond,
en terre ou en verre.

2. Le **nougat** est une sorte de bonbon
fabriqué avec des amandes,
du sucre et du miel.

3. Être **perché,** c'est être grimpé
sur quelque chose de haut,
comme au bout d'une perche.